Savais-tu

Les Coyotes

Savais-tu?

Les Coyotes

Alain M. Bergeron
Michel Quintin
Sampar

Illustrations de Sampar

ÉDITIONS
MICHEL
QUINTIN

Catalogage avant publication de Bibliothèque et Archives
nationales du Québec et Bibliothèque et Archives Canada

Bergeron, Alain M., 1957-

Les coyotes

(Savais-tu? ; 20)
Pour enfants de 7 ans et plus.

ISBN 978-2-89435-262-5

1. Coyote - Ouvrages pour la jeunesse.   2. Coyote - Ouvrages
illustrés. I. Quintin, Michel . II. Sampar. III. Titre. IV.
Collection : Bergeron, Alain M., 1957- . Savais-tu? ; 20.

QL737.C22B47 2004   j599.77'25   C2004-940124-6

Révision linguistique : Rachel Fontaine

Le Conseil des Arts du Canada
The Canada Council for the Arts

SODEC
Québec

Patrimoine   Canadian
canadien   Heritage

La publication de cet ouvrage a été réalisée grâce au
soutien financier du Conseil des Arts du Canada et de
la SODEC. De plus, les Éditions Michel Quintin bénéficient
de l'aide financière du gouvernement du Canada par l'entremise
du Programme d'aide au développement de l'industrie de
l'édition (PADIÉ) pour leurs activités d'édition.

Gouvernement du Québec – Programme de crédit
d'impôt pour l'édition de livres – Gestion SODEC

ISBN 978-2-89435-262-5
Dépôt légal - Bibliothèque et Archives nationales du Québec, 2004
Dépôt légal - Bibliothèque et Archives Canada, 2004

Éditions Michel Quintin
C.P. 340, Waterloo (Québec)
Canada J0E 2N0
Tél.:   450-539-3774
Téléc.: 450-539-4905
www.editionsmichelquintin.ca

0 7 - M L - 2

Imprimé au Canada

Savais-tu que les similitudes physiques entre le coyote et le chien sont telles qu'on a souvent du mal à les distinguer l'un de l'autre? D'ailleurs,

tous 2 appartiennent à la famille des canidés, comme le loup et le renard.

Savais-tu qu'il y a possibilité d'accouplement fécond entre un chien et un coyote?

Savais-tu que pendant l'accouplement, les partenaires restent unis par leur parties génitales? Tout comme chez les chiens, ils peuvent rester ainsi durant plus d'une demi-heure.

Savais-tu que le coyote, qu'on appelle aussi loup des prairies ou chacal d'Amérique, vit presque partout dans l'Amérique du Nord et dans l'Amérique centrale?

Son nom vient du mot aztèque *coyotol* qui signifie
« chien aboyeur ».

Savais-tu qu'il habite des milieux très variés? La plupart de ces espaces sont à découvert : bois aérés, champs, plaines, déserts et périphérie des grandes villes.

Savais-tu que la proximité de l'homme ne l'incommode guère? C'est une des rares espèces animales capables de survivre dans des régions urbanisées.

Savais-tu que le coyote est le plus rapide de tous les canidés? À la course, il peut atteindre 65 kilomètres à l'heure.

Savais-tu que le coyote est très bon sauteur? En longueur, il peut sauter 4 fois sa longueur et en hauteur, 3 fois sa hauteur. Il est aussi excellent nageur.

Savais-tu qu'il possède une ouïe très développée? Myope cependant, il perçoit mal les animaux ou les objets inertes.

Savais-tu que son odorat est très développé? Le coyote peut déceler des différences dans la fraîcheur des traces laissées par un animal et, même si celles-ci ont été faites plusieurs heures auparavant, il peut savoir dans quelle direction est parti l'animal.

Savais-tu que le répertoire vocal du coyote est très
varié? Il comprend, entre autres, des aboiements,
des hurlements, des grognements et des jappements.

Ses appels les plus caractéristiques consistent en une série de jappements suivis d'un long hurlement.

Savais-tu que ses hurlements se répercutent sur des kilomètres à la ronde? Le coyote les utilise pour appeler les membres de son groupe, signaler sa présence ou prévenir d'un danger immédiat.

Savais-tu que le coyote gîte dans une tanière? Son terrier possède une ou plusieurs entrées toutes dissimulées sous une souche, derrière un buisson ou tout autre élément naturel.

Savais-tu que la plupart du temps, les coyotes dorment
à découvert, à même le sol? Ce sont surtout les femelles
qui utilisent un terrier, et cela, seulement durant la
période de mise bas et d'allaitement.

Savais-tu que les coyotes sont monogames? Une fois formé, le couple demeure souvent lié de nombreuses années.

Savais-tu que la femelle a une seule portée par année?
Chaque portée comprend de 2 à 12 petits.

Savais-tu que chez le coyote, ce sont les 2 parents qui élèvent leurs rejetons? Le père aide à la toilette et à l'alimentation des petits, garde l'entrée du terrier et, en cas de danger, transporte les jeunes dans un refuge sûr.

Savais-tu que dès l'âge de 4 semaines, les petits commencent à manger des aliments prédigérés que leur régurgitent leurs parents?

Savais-tu que, tant qu'ils ne sont pas assez vieux pour chasser et attraper leur propre nourriture, les petits mordillent les lèvres de leurs parents pour les inciter à régurgiter de la nourriture?

Savais-tu qu'une fois sevrés, les petits, alors âgés de 5 à 8 semaines, apprennent vite les rudiments de la chasse? Ils quittent leurs parents à l'automne, soit vers l'âge de 8 mois.

Savais-tu que si les territoires disponibles sont rares, les jeunes peuvent choisir de rester avec leur parents? Cependant, ils ne pourront pas s'accoupler.

Savais-tu que, plutôt sédentaire, le coyote délimite son territoire avec son urine et ses excréments? Il défend avec beaucoup d'ardeur sa tanière et ses territoires de chasse.

Savais-tu que le coyote peut vivre seul, en couple ou en petits groupes familiaux?

Savais-tu que les groupes familiaux sont hautement hiérarchisés? Ce sont les membres les plus âgés qui dominent et conduisent le reste de la troupe.

Savais-tu que le coyote est surtout carnivore? Il se nourrit de mammifères, d'oiseaux, d'insectes, mais aussi de charogne et de végétaux.

Savais-tu que les coyotes qui vivent en périphérie des villes, des villages et des fermes ajoutent à leur menu des chats, des chiens, de la volaille, du bétail et des ordures domestiques?

Savais-tu que les coyotes chassent en meute les proies de grande taille? Ils les terrassent en leur infligeant des blessures mineures mais multiples au train postérieur et à l'abdomen.

Savais-tu qu'ils tuent les petites proies en les mordant au cou, à l'échine ou à l'épaule et en les secouant violemment?

Savais-tu que le coyote devra se méfier du loup, de l'ours et du couguar s'il veut vivre pendant 10 ans? En dépit du fait que l'homme a tout fait pour le détruire,

c'est sa capacité d'adaptation qui lui a permis
de survivre et se multiplier.